Karin Kiwus
Nach dem Leben

Gedichte

Suhrkamp

Druck: Nomos Verlagsgesellschaft, Baden-Baden
Printed in Germany
Erste Auflage 2006
ISBN 3-518-41737-1

1 2 3 4 5 6 – 11 10 09 08 07 06

Nach dem Leben

Für
Gera Valk
herzlich
von
[illegible]

I

Incarnation. Revisited

Wir sehen jetzt, wie das Altarbild
aufgeklappt wird, Tableaus ausgesuchter
Andachtsgegenstände daseinsbedeutender Art.
Es ist zwölf Uhr, mittags, nachts.
Rüstungen heben sich ab, plastisch,
aus dem Dunst einer überkommenen, einer
als forttaumelnd dargestellten Schlacht.
Panzermäntel, Harnischwesten, Herrscherornate,
Paradepaletots, schwere schwebende Torsi in
metallisiertem Tuch, Schmucktressen und Pelz.
Zwangseinkleidungen, sagen wir uns, Tarnverbände,
Vermummungsstrategien, unbefreit, finster,
wie gehabt, benannt, erlitten. Verlorene
Posten in einem Feld schon heraufdämmernder
Gegenoffensiven. Diese ganze abgehängt
auf der Stelle exerzierende Kompanie,
vor deren taubstummem Tumult wir nun
zurücktreten, zu Boden schauen und dann
erneut auf jenen Fundus von Kostümen,
so zerschlissen auf einmal, so durchsichtig,
daß wir den Zug der Marketenderinnen grell
ausmachen, die angewiesen ihren Helden folgen.
Ja, in nämlichen Rüstungen, signalwirksam
weiblich, in Fischbeinkorsetts, gummihautengen
Miedern, in Stiefelstrümpfen rot und schwarz.
Und zwischen den wahllos ausgewechselten
Beinen ein unschamhaft preisgegebenes
Geschlecht, ein Warndreieck, das, ach, um

Erbarmen ersucht für eine allzu eilfertige
Verlockung und diese Entzweiung mitten
in einem fügsam aufgenommenen Leben.

Alle diese unvollständigen Körper,
ohne Füße mit einem Stand, ohne Kopf
mit einem uns zugewandten Gesicht,
ohne Augen, die, wir warten nur darauf,
sich wie Fenster öffnen zu jenen
Innenräumen, in denen wir stehen,
in einströmendem Schrecken, in Trauer.

Aber schon, als wäre es an der Zeit und wir
nicht wirklich hier, wird mit langen Stangen
von beiden Seiten her das Altarbild
behutsam wieder zusammengeführt. Auf den
Rückseiten der Flügel rechts und links
erscheinen die zwei Hälften eines
sündhaft roten Mantels und darunter,
während auch er sich schließt, erkennen wir,
in eben anhaltender Erschöpfung, die Konturen
eines unbefleckt entworfenen Körpers,
eine Haut-, Fleisch-, Menschwerdung geradezu
ausgleichend reiner Natur. Und die Umwandlung,
versuchsweise jedenfalls, in eine lichte Energie,
kaum abzuleiten aus Entstellung, Makel, Schuld.

Nackt jedenfalls, nackt wie aller Anfang,
da vor Zeiten zu lernen war,
den höchsten Augenblick
zu erfassen, welcher ist,

wir hatten es nur vergessen,
innehalten, atmen und sich ergeben
einer frei erfundenen
Offenbarung.

Vision

Wie auf einmal drei Billardkugeln
über den Markt von Nizza herfallen,
6, 7, 15, weinrot, russischgrün,
ockerfarben, wie sie beinhart
zusammenprallen mitten auf nacktem
Schiefer, wie sie, klack, klack,
Signal geben allen hier, jetzt, später
sich in Bewegung zu setzen.

Und wie über den Kies sogleich
Boulekugeln rollen aus Holz, rundum
mit Nägeln beschlagen und aus fein
ziseliertem Stahl; wie von den Hängen
der Abruzzen lehmfarbene Kugeln rollen
aus leichtestem Stein; zarte blaßrosa
Kugeln, verwehte Bündel aus Strandgras
und Sand, rollen über die Uferstraßen
des Tyrrhenischen Meers; flaschengrüne
Kugeln rollen aus den eingeholten Netzen
der Fischer am Hafen; wie über die Weiden
weiche feuchte Fellkugeln holpern, eben
hervorgewürgt aus den Mägen der Kühe;
schwarzbraun polierte Kugeln mit Letter
jeweils und Zahl rollen über die Bowlingbahnen;
über den Rasen rollen Krocketkugeln aus Holz,
aus Porzellan über die Teppiche in den Salons;
Kricketbälle aus Leder rollen, made in India,
für Oriental Sports, Poona; und wie von fern noch

Geschützkugeln rollen aus dem Museum Austerlitz
weit über den Kontinent in gegnerische Arsenale.

Und wie zuletzt, Einhalt gebietend,
eine mächtige dunkelblaue Kugel
im Raum steht, die alle Sterne
des nördlichen und südlichen Himmels
abbildet nach Position und Helligkeit,
markante, unscheinbare, Haufen, Nebel

und wie dann in der Nacht,
in Höhe des Polarsterns ein Auge
erscheint, ein Elfenbeinauge,
graugealtert, unbewegt, prüfend,
eingelassen in die Kappe einer
schwebenden Ebenholzkugel.

Das Auge des Observators.

Eine Erhebung von Selbst

Und dann plötzlich ein willentlich
angestrengter Bruch, ein Entschlußstrich
zwischen vorher unten hell und
nachher oben dunkel, Spuren weder
von Spiel noch geneigter Spiegelung,
Arbeit allein mit dem Kopf weiter
schärfer höher über die Natur hinaus,
Indizien hier und da, etwas wie
Häutung, Entatmung, Farbzerfall,
endlich Härtung dagegen, monolithischer Wuchs.

Diesseits des Horizonts eine Wahrnehmung
von aufgegebener Ebene, verabschiedeter
Fülle, Begierde, Stimmenerregung, Freude,
entstofflichten Zügen, die blaß und brüchig
eingehen in die aschengesättigt wartende Erde.

Jenseits eine harsch gesetzte Bedeutung
von abgewendetem Einverständnis,
starrer Konzentration auf eine enge
Spanne Zeit, die der Einsicht dient
und dem Ansehen vor einem Licht,
das geradewegs aus jenem letzten
nie besonnten Himmel fällt.

Und dann aus einiger Entfernung erst
kenntlich eine Erhebung: eine Erhebung,
zu groß für diesen Raum, ein Raum,

zu groß für diese Spannung, eine
Spannung, zu groß für die zwei
Erscheinungen eines Gesichts.

Am Ende, am Ende
ist es selbstredend
das.

Elegie in sieben Sachen
auf Uwe Johnson

1

Liebe, verehrte, gnädige
junge Frau, nehmen Sie diesen
Sommerfahrplan 1934 zum Beispiel,
gültig ab 15. Mai, und sagen Sie mir,
wo Sie hinfahren würden zu einer ersten
Begegnung, und beachten Sie, diesen Plan
bitte so zu benutzen, daß Sie nicht zuerst
nach dem Ort suchen, wohin die Reise
führen soll, sondern daß Sie unter dem Bahnhof,
der für die betreffende Reise in Frage kommt,
die Spalte Abfahrtszeit betrachten.

Nun, ich würde am Stettiner Bahnhof
um 8 Uhr 45, um 10 Uhr 38, um 13 Uhr 55
oder um 19 Uhr 10 einen Zug nehmen und
in mehr oder weniger als drei Stunden
ankommen in Güstrow. Aber nein,
nein, warten Sie, ich würde natürlich
vom gleichen Bahnhof um 10 Uhr 34,
jedoch nur sonntags vom 1. VII. bis 5. VIII.,
den einen einzigen E 145 nehmen und
über Gesundbrunnen, Angermünde, Stettin
und Wietstock um 14 Uhr 51 rechtzeitig
eintreffen in Cammin.

Na, da haben Sie ja nochmal
Glück gehabt.

2

… seien Sie vielmals bedankt für
Ihre Glückwünsche aus Saarbrücken;
wie kann man aber mit derlei
Gedächtnisgepäck auf Reisen gehen;
und ich bitte Sie auf das schönste,
in Hinkunft von so etwas
absehen zu wollen. Da ich ja
ganz ohnedies und all das bin
Ihr sehr ergebener

3

Des weiteren erlaube ich mir
das Vergnügen, Ihnen hier
eine Münze zu übereignen
aus dem Jahr Ihrer Geburt.
Schmuckkästchen G. H. Gallichan Ltd.,
Jewellers & Silversmiths, Sheerness,
steife Plastikwatte, ONE SHILLING,
Kopf: GEORGIUS VI
D:G:BR:OMN:REX
und Löwe, Krone,
Zahl: 1947.
Aber Sie wissen doch ganz genau,
daß ich nicht in diesem Jahr.
Da sehen Sie mal, ich weiß etwas
besser, denn Sie wissen nicht alles.

Schon gut, schon wiedergelesen.
Manche Münzen loszuwerden sei
eine Erleichterung, da ihre Jahreszahl
lauten könne auf 1926, 1935, 1947 …

4
Zu jenem filmischen Porträt, das Sie
für wert erachten vorauszudenken,
ist mir inzwischen eingefallen
(zum Spass; weil Sie es sind):

»Fragt man Johnson, was er sich dachte,
wird er zugeknöpft. Wie er sich durchsetzte?
›Mit Schwierigkeiten‹, sagt er.

›Ja, haben wir erhalten‹, sagte Johnson.
›Aber das Zeug ist im Papierkorb gelandet.
Fragebögen entsprechen nicht unserem Stil.‹

Doch präsentierte Johnson weder eine ausgefeilte
Multimedia-Dokumentation, noch wartete er
mit irgendwelchen Skizzen für das Projekt auf.

Im Gegensatz zu seinem legeren Umgang
mit Kunden nennen ihn selbst langjährige
Mitarbeiter der Firma immer noch
›Mr. Johnson‹.« –

es wird wohl eher dieser sein, den Sie meinen.

»Ich erkundigte mich, wer denn dieser
berühmte Johnson eigentlich sei.
›Ach‹, sagte der Wirt,
›Johnson, der große Schriftsteller,
der Sonderling, wie man ihn nennt.‹

Aufgekratzt, wie ich war, machte ich mich
an Johnson heran, im Wahn, ihm völlig
gewachsen zu sein, und begann laut
und vernehmlich mit ihm zu reden.

Johnson wich meinen Fragen taktvoll aus
und dämpfte mein auffälliges Benehmen
so gut als möglich.
›Jemand im Gespräch auszufragen,
gilt nicht als fein; und vor allem
darf man einen Menschen nicht nach
seinen persönlichen Verhältnissen fragen.‹

›Dann muß also die Nachwelt ewiglich
im dunkeln tappen. Es wird dermaleinst
heißen, er schabte die Schalen, ließ sie
trocknen, aber was weiter damit geschah,
war nicht aus ihm herauszukriegen.‹
Johnson: ›Sie können sogar sagen: –
war selbst von seinen besten Freunden
nicht aus ihm herauszukriegen.‹

Ich antwortete in aller Einfalt,
ich verstünde ihn nicht.
›Dumme Pute!‹ sagte Johnson.«

Eine hübsche *Ausfertigung* haben Sie da
herbeizitiert, jedoch wäre mir
niemals in den Sinn gekommen,
Sie eine ›dumme Pute‹ zu nennen.
Ist doch ausserhalb meiner Art!

Auch verkennen Sie, after all, daß ich mich
Ihnen gegenüber immer befinden werde
in der Position eines Werbenden.

5

*Die Sache ist die, ich bin Ihnen langinhallend
dankbar für Ihre Bereitschaft, mich mitzunehmen
an den Südostrand der Insel, wo er durch
eine sanft eingedrückte Mulde aus Finsternis
vom Festland sich unterschied. Auch erhält sich
in mir die Erleichterung darüber, dass die
Düsternis allmählich, und wie leider versprochen,
sich auflöst in abhängende Wiesen, einen stumpf
blinkenden Meeresarm, auf der anderen Seite
in Gebüschzeilen, von Menschen Gebautes und
eine Lücke in der Landschaft, in der für eine
geringe Zeit die südenglische Eisenbahn zu sehen
und, ein wenig versetzt, auch noch zu hören war.
Worauf ich nun kaum noch
zu hoffen gewagt hatte.*

Denkenswert.

*Denn während ich vermeinend war, es habe
die von dieser Gegend der Erde
sich wegdrehende Sonne in ihren letzten
Blick eine solche Wärme gelegt, dass
die dunklen Nebel aus dem Tale zu ihr
flohen, bloss damit Sie es
zuverlässig zu Gesicht bekamen –*

*sagte Frau Kiwus: Wie wenn
ein Polaroid-Foto sich entwickelt hätte.*

6

Liebe, verehrte, gnädige
junge Frau, da Sie einen Wunsch
frei hatten bei mir, habe ich Ihnen
endlich diese Schallplatte mitgebracht,
nur ist es nicht die Stimme
des Dichters, sondern die ebenso
walisisch singende von Richard Burton,
dafür aber with a tribute der Dame Sitwell.

Nun, da man liest:
»With what unalterable sadness,
now, does one read
these lines to his dying father:
›Do not go gentle into that good night,
Rage, rage against the dying of the light.‹«

7

Und nun, für das kommende
literarisch bedeutsame Jahr 1984,
nehmen Sie diesen Day-By-Day
Desk Calendar zum Beispiel, Murphy's Law:
366 wrong reasons why things go more.

Und später, den Berichten folgend,
den Fotos, aufgeschlagen die Blätter
für den 21./22. Februar –
Finnigan's Law:
The farther the future is,
the better it looks.
Und
Simon's Law of Destiny:
Glory may be fleeting,
but obscurity is forever.

Nachtarbeit

Im Premierenkino,
im Foyer, auf der Treppe
oben steht er und ruft,
hier, komm hier herauf,
hier ist der Eingang.
Und ich erstarre in mir,
schaue hinauf, rufe Vorsicht,
Vorsicht, du bist doch tot,
paß bitte doch auf dich auf.
Und schon springt aus dem
Eingang dieser dünne langbeinige
schwarzgekleidete Mann hervor,
stößt ihm mit aller Wucht
ein Messer in seine Schulter,
und augenblicklich strömt eine
breite Blutspur Hemd, Jacke, Hose
hinab, und still
sackt er in sich zusammen.

Da stürze ich an der
wartenden Schlange vorbei
zur Kasse, fordere, schnell,
schnell einen Rettungswagen.
Was denken Sie sich, sagt die Frau
am Schalter, habe ich denn
nichts anderes zu tun.
Da hämmere ich ihr
wild gegen die Scheibe.
Hämmere, hämmere.

Jetzt aufwachen
und weiter
trauern.

Bac Ho liegt hier nicht mehr

Schon. Es ist feierlich
in gewisser Weise, ergreifend.
Ein düster monumentales Grabmal,
eine lange Schlange draußen, drinnen
weißgekleidete Soldaten im Geviert,
ehrfürchtige Stille, Kälte, Andacht.
Und da in der Mitte,
rosig belebend illuminiert,
die kleine dauernde Gestalt,
der schüttere Bart unter dem Kinn,
die feingliedrigen Hände,
aber
er ist es nicht, er ist
bei der letzten kosmetischen Konsultation
untergetaucht in Moskau, hat sich
entzogen der Verfügung öffentlich
auszustellenden Nationalheldentums.

Und nun, gewiß, gibt es Spekulationen.

Längst sei er zurück aus dem ewigen Exil,
mit der immer gleichen Kleidung am Leib,
Sandalen, Bambusstock, Schreibgerät.
Er wandere in seinem Leben, der Geschichte
seines Landes umher, besuche im Reisfeld
der Ehre die Gräber der im Süden Gefallenen,
in denen auch diese Helden nicht liegen, gehe
in die Häuser seiner Familie, des gesamten Volkes,

betrachte, wie in einem Spiegel, sein Ebenbild
auf dem Altar noch der bescheidensten Hütte.

Längst habe er, seinem letzten Willen folgend,
sich in Asche aufgelöst und verteilt auf die drei
Urnen der Regionen Norden, Mitte und Süden,
in die zu Zeiten der Wind fährt,
Partikel aufwirbelt und niederfallen läßt
als beseelten Staubregen am Morgen.

Oh, an ihren Schreibtischen die Mandarine
gestehen, es gibt Verbindungen zwischen
den wachenden Toten und den kurzsichtig Lebenden,
die eine weise Staatsführung nur dulden kann.

Und er? Reglos im alten Bunker, horcht er
auf die Schritte der Touristen in seinem luftigen
Sommerhaus nebenan, im Arbeitszimmer oben,
die der Franzosen und Amerikaner, die sich jetzt
um sein Radio versammeln, sein von Mao als Geschenk
überbrachtes Radio, und eine Botschaft von ihm erwarten,
eine Aufklärung über das Geheimnis eines
so demütig und allesbesiegend
nach Erleuchtung Strebenden.

Eingeborene aller Länder

1

Die weiten offenen Ebenen, die runden
grünen Hügel und die gewundenen
Wasserläufe unter dem Dickicht
haben wir nie als ›wild‹ angesehen.
Nur für den weißen Mann war die Natur
›Wildnis‹, und nur für ihn
war das Land ›heimgesucht‹
von ›wilden‹ Tieren und ›rohen‹ Menschen.
Für uns war es sanft und friedfertig.
Die Erde war großzügig und wir dankbar
umgeben von all ihren Segnungen. Und
niemals bevor der bärtige Mann
aus dem Osten kam und Unrecht
über uns häufte in gräßlicher Raserei,
war jemals etwas ›wild‹ für uns.
Als selbst die Tiere des Waldes aber
sich aufmachten zu fliehen, da er
näher und näher kam, erst dann,
erst dann hat es angefangen für uns
mit dem ›Wilden Westen‹.

2

Wir haben euch, weiße Männer,
nicht gebeten hierherzukommen.
Der Große Geist gab uns diesen Kontinent
als ein Zuhause. Ihr hattet das eure.
Wir haben euch niemals bedrängt.
Aber ihr seid hierhergekommen,
habt uns unser Land fortgenommen
und unser Wild ausgerottet,
so daß wir kaum mehr leben können.
Nun fordert ihr, wir sollten arbeiten
um zu leben, aber der Große Geist
hat uns nicht geschaffen zu arbeiten,
sondern allein von der Jagd zu leben.
Ihr, weiße Männer, ihr könnt arbeiten,
wenn ihr wollt. Wir werden euch niemals
bedrängen. Ihr dagegen fragt ständig,
warum wir nicht zivilisiert werden wollen.
Wir aber wollen eure Zivilisation nicht.
Wir wollen leben wir unsere Väter
gelebt haben und deren Väter vor ihnen.

3

Ich bin nun vergessen in einem Volk,
das mich und meine Weisungen früher
in Ehren gehalten und respektiert hat.
Ein ruhmreicher Weg ist uneben, und
viele bittere Stunden verdunkeln ihn.
Möge der Große Geist Licht werfen
über den Ihren, Sir, und mögen Sie
niemals jene Erniedrigung erfahren,
in welche die amerikanische Regierung
mit aller Macht mich gezwungen hat.

Dies ist der Wunsch eines,
der in den Wäldern seiner Heimat
einst so stolz und unerschrocken
gewesen ist wie Sie heute.

Halali

Lustlos auf dem Hochsitz
herumhängen in Erwartung
eines schweren geheimen Altbocks
eben vors Glas oder gleich vors Korn.

Am Ende der Hochsommerwonnen
zuweilen, nach den aufreizenden
weithin klappernden und keuchenden
Vormensuren der Jungmännlinge tritt
doch auch der mürrischste bejahrte
Gehörnträger noch heraus auf der Suche
nach einer altersgerecht spröden Ricke.
Mitten auf der Lichtung erscheint dann
müde ein Sonderling, ein Kümmergabler,
bis über Haupt und Hals bedeckt
von Waldgras und Brombeerwuchs,
ein Riese an Gerüst, aber schlecht bei Leibe,
des Raufens überdrüssig, ein steifer,
würdiger, kaum mehr lodernder Freier.

Ach, freie Natur vormals und freudiges
Treiben, ach, versiegender Elan, zögerliche
Fortüne und beständig abnehmender Mond.
Ach, Diana. Nieder mit den Waffen.

II

Roman

Eine Kompaßnadel über dem Album
Unser Kind. Unser? Südsüdost.
Bestätigt in der Mittagssonne das Dorf.
Eine Bushaltestelle, ein Bistro dahinter,
ein Laubengang, ein Laden, ein alter
Transformatorenturm an der Ecke. Rechts
am Gartenzaun entlang in gestreiftem
Schatten, Phloxstauden, Astern, Dahlien,
Malven und Georginen. Eine Veranda gleich
neben der Pforte, Holzscheite gestapelt
und Maiskolben, Himbeeren in Schüsseln
aus himmelblauer Emaille. Auf dem runden
Pflaster im Hof funkeln die Kastanien.
Hundezwinger, Sandkasten, Regentonne, Brunnen.
Zwei junge schwarze Dackel kommen geflitzt,
hell kläffend, mit wehenden Ohren.

Und da unter dem weinberankten Tor
endlich anwesende Bewohner.
Langzeitporträts, die jetzt
altern in siebenundfünfzig Sommern.

Drei Tanten auf einmal. Und
von den Feldern an der Oder
auf dem Traktor ein Onkel
Hubert: Wer bist du? Wer
sind deine Eltern? Ja,
dann bist du die. Aber
wie kommst du?
Breslau, ah, Exkursion.

Und nun? Kaffeetrinken im Haus, wie immer,
Käsetorte und dicke Streuselplätzchen.
Eine düstere Anrichte, ein taubenblaues Sofa,
ein silbernes Kruzifix über dem Klavier
und die vier zugewandten Gesichter am Tisch,
sie lächeln, daß die Falten knistern.

Und die Mama? Wann? Wie alt
ist sie geworden? Damals, stell dir vor,
wie jung sie damals war, jung und fesch,
und viel zu feine Schuhe für unsere
Schotterstraßen. Da ist sie barfuß
gehüpft vor Freude nach dem Attentat
im Juli. Oh, die Leute hier haben
mit Fingern auf sie gezeigt, aber
geschwiegen. Unseretwegen.

Und gewohnt? In Leos weißer Villa
drüben, in der ersten Etage. Am Abend
die Pausenzeichen aus ihrem Radio oben,
heimlich, unter der Decke. Die englischen
Nachrichten über den Kriegsverlauf und wann
und wo die näherrückende Front. Ende Januar
ist er dann gekommen aus Berlin. Was für ein
Aufbruch, was für ein Chaos am Bahnhof, alles
zurückgelassen, Kinderwagen, Koffer, Körbe, nur
in den Zug, den Zug, den vorletzten Zug.
Hinter der offenen Tür fest aneinandergepreßt ihr
drei, dein blonder Schopf über seiner Schulter.
Kleine Familie, langsam anfahrend
in einen Zusammenbruch.

Und er? Drei Monate noch. Unser Kind.
Das Album. Es führt uns nicht weiter.
Ihn. Das zerschmetterte Gesicht.
Ich blättere vor zu den leergebliebenen
Seiten und zurück. Noch einmal
vor und zurück.
Zurück. Dort
werden sie mir die erhaltenen
Bilder ergänzen und mich
anschauen lassen, wer
er war.

Global River

Die Mönche zuerst auf eigenen Schiffen,
Heringe aus Pommern und Ladungen
Salz aus dem Westen, aus Halle und Lüneburg.
Über Jahre und Jahre später Frachtgüter
zu Berg, vom Schiff auf Waggons:
Jute aus Britisch-Indien nach Polen,
Granit aus Schweden in die Tschechoslowakei,
Eisenschrott aus Berlin und Stettin,
Kies aus den Tiefen der Oder, Erze
aus Schweden, Griechenland und dem Sinai,
Pflanzenfasern aus Nordafrika, Sojaschrot
aus der Mandschurei, Erdnußkerne aus Indien
und Wein aus Spanien – dies alles
nach Breslau und Oppeln, auf Güter und Höfe
und weiter flußaufwärts in die Industrien;
und zu Tal, von Waggons auf Schiffe:
Getreide, Kohle, Eisen, Zement, Benzol,
Hölzer, Schwellen und Telegraphenmasten
aus Oberschlesien nach Berlin und Stettin.

Bis am Ende der alten Welt die Front
verläuft am rechten Ufer bei strengem
Frost und Schnee und die Schiffer
übers brüchige Eis aus zwei Oderkähnen
bei schärfster Bewachung eine Brücke richten
und Truppen hinübersetzen in eiligen Kolonnen.

Bis die letzten Kähne beschlagnahmt, abkommandiert
und gekoppelt werden an Seeschiffe in Stettin,
im hohen Wellengang der Ostsee zerbrechen
und schwarz und schräg und schnell versinken.
Und ein einziger wiederentdeckt wird von einem
kriegsgefangenen Schiffer in Leningrad, der ihn
erkennt an der Aufschrift »Glaube« am Bug.

Im Gasthaus des Schiffervereins
neben der Schleuse ist da schon Feuer gelegt,
von den glühenden Balken im Saal stürzen
herab die Ansicht vom »Sturm auf dem Meere«,
eine verkohlte Oder-Kahn-Miniatur
und die prächtige Fahne des Vereins
mit Fransen und goldenen Lettern:
»Gott läßt uns sinken,
aber nicht ertrinken«.

Lament

Es ist Ende April. Das Ende ist
Anfang Mai. Das letzte Brot im Krieg
gibt es mittags zwischen zwei und drei.
Nur quer über die Straße und zurück
mit einem Laib unter dem Arm. Eine
Handbewegung und die Nachbarinnen
zuerst ins Haus, während soeben
sich ein Granatsplitter verirrt.
Da liegt er dann, hingestreckt
unter anderen auf dem Pflaster.

In einem Zimmer oben durch die schräg
gestellte Jalousie streift die Sonne
einen verlassenen Tisch. Das stehengebliebene
Geschirr. Suppenterrine, Teller, Löffel.
Der abgerückte Stuhl, auf dem er gesessen hat,
auf einem Knie die Serviette, auf dem anderen
den zu fütternden weichen kleinen Körper.
Totenstilles Bild. Eingetrübt. Haltlos.

Vor dem Haus unten steht sie schon
und sucht, wen sie nicht finden will.
Keinen von denen. Beim zweiten Gang
erkennt sie ihn, das Muster der Strümpfe.
Den Hinterkopf, flüstern die Nachbarinnen,
es hat ihm den Hinterkopf weggerissen.

In den Hof hinten schaffen sie ihn,
die verbliebenen alten Männer, neben
den Brunnen. Ein dunkelroter Teppich
als Bahre, ein Sarg aus den rohen Brettern
der Kellerverschläge, Polster und Kissen darin
und das geblümte Plumeau aus dem Kinderbett.
Luftige Kiste. Hastige Versenkung. Ein Feld
offen klaffender Gruben gleich für die nächsten.

Ins gerichtete Grab der Familie im Juni.
Eine Umsetzung noch. Der gebeugte Vater,
bereit, dem Sohn nachzufolgen im Herbst,
das Kind am Rand, auf einem hölzernen
Pferd auf Rädern, das staunend die Parade
der Trauernden abnimmt. Und die Witwen
später ringsum, die sich erinnern, ekeln,
was für ein bestialischer Gestank damals.

Und lange fünfundzwanzig Jahre, bis
seine vereinsamte Frau ihm das Andenken
aufkündigt, die Ruhestätte, den Verbleib in Frieden.
Da erscheint er nun mir Nacht für Nacht,
im Abendanzug, in Tennisschuhen,
mit Skistöcken, Ruder, Feldstecher, Kompaß
und seiner dreiviertel Violine, stumm
fordert er abgewandten Gesichts
seinen Sarg wieder ein, der da schon
steht in der Diele, klein, fein,
mahagonipoliert und ausgeschlagen
mit weißem Satin, aber klein, klein,
eine winzige Gondel, eine Sitzbadewanne,

ein Reiseschlitten ohne Kufen und Verdeck,
ein offenes Coupé, in das der Rumpf sich
krümmen muß in stumpfem Winkel,
den Kopf abgeknickt und die Knie,
mit steif überhängenden Beinen.
Wie denn, wohin, auf welchen langen Weg.

Und ein früher heller Morgen, als
ein Abschied einberufen wird in dieses
Krankenzimmer, in dem sie stehen und
auf eine rundum starr bandagierte
Gestalt weisen ohne Gesicht, endlich,
sagen sie, ist er von uns gegangen
nach so vielen angehaltenen Jahren,
aber warum hat mir niemand, ach,
weil er niemals wieder ... und ich
schreie, bis alle den Raum verlassen haben.

Meine liebe reine still entrückende Mumie.

Aber da, unter dem Herzen,
aus dem Mull der Binden windet sich
dieser Käfer hervor, schwarz, blank,
selbstgezeugt, verharrt, kriecht hurtig
auf meinen Zeigefinger und läßt sich ans
Licht heben, in die klare kalte Luft
hinter dem aufspringenden Fenster.

Soweit nun, Bote.
Erlöst.

Zuvorletzt

Und dann, sagt er,
wenn ich nicht wieder
aufwache, was ist dann,
was ist dann, danach.

Ich weiß nicht, sagt sie,
ich weiß es auch nicht,
außer, – dann
bist du bei mir.

Erkner bei Berlin

Auf der belebten Autobahn unten
ist es auf einmal hell, still, leer,
eine brüchige Piste im Mittagslicht,
Betonplatten, unkraut- und grasgesäumt.
Die Böschung, Sandfurchen herab
lassen eine Frau, ein Kind sich
gleiten, Kastanienlocken, blonde Zöpfe,
Staubmantel, Bergschuhe, Sandalen,
Feldstecher, Rucksack, Schultertaschen.
Überqueren Fahrspuren, Mittelstreifen,
wieder zwei Spuren. Die andere Böschung
hinauf, weich sackender Sand, Halt
an den Schlingen frei wurzelnder Kiefern
und das Kind an den Schuhen der Frau.

Der Bauernhof hinter dem Wald
hält Markttag für Hinterbliebene.
In Diele und guter Stube, auf Anrichten,
Tischen und Truhen Leinenstapel,
Tafelsilber, Schmuckkästchen, Uhren.
In Kammer, Keller und Scheune
Brotlaibe, Butterfässer, Wurstringe,
Speckseiten, Obstkörbe, Kartoffelsäcke.

Die Kinder unter den Bäumen
im Garten prüfen Fingerabdrücke
auf pelzigen frischen Pflaumen,
sammeln Augustäpfel in eine Zinkbadewanne,
Stachelbeeren in Stahlhelme und Kochgeschirr.

Rucksack und Taschen mit getauschten
Waren und – Vorsicht, sagt die Bauersfrau,
im Wald lauern die Russen noch überall,
und das Kind schaut auf und fürchtet
Teufel, Wölfe, feuerspeiende Drachen.

Ach, sagt die Mutter, so ein Märchen,
du weißt doch, wie es geht:
und wenn sie nicht
gestorben sind, dann sind sie
fortgezogen in fünfzig Jahren.

Immer und ewig

Weihnachten noch. Ausgemachte Harmonie.
Printen, Mohnstollen, Gänsebrust,
Portwein und alte Fotos. Ihre Hand
auf meiner Schulter. Flügelchen,
sagt sie, hast es schwer mit mir.
Meine Hand darauf. Schon gut.

Der Notruf dann. Oder Vorwurf. Endlich,
sagt sie, hör doch nur zu, der Magen,
eigentlich der ganze Bauch, der Blutdruck,
die Atembeschwerden, das Herz, das Herz
wieder. Marode Maschine. Nein, überhaupt
keinen Arzt, wozu habe ich denn dich.

Grüner Kittel, sterile Überschuhe, Wachstation.
Ach, sagt sie, was für unnütze Experimente,
wenn ich noch einen Einlauf bekomme,
werde ich verrückt. Und du, woher
kommst du jetzt, hast du schon etwas
gegessen, ich, sonderbar, darf nichts zu mir
nehmen, gebe es aber von mir ins Bett.

Sieh nur, der Fußboden hier, sagt sie, ist
über und über bedeckt mit Tannennadeln.
Welche Jahreszeit haben wir morgen.
Woher hast du mein Armband, und wo bitte
ist der Talisman mit dem Rubin, wohl
eben verloren. Gibt es hier vielleicht

auch einen Friseur. Was stehst du auf,
willst du etwa schon gehen, mußt du
wieder unbedingt arbeiten und dein
exklusiv eigenes Leben leben, was
habe ich nun davon, so eine gelehrte
Einzelgängerin, war ja doch
alles vorauszusehen seit langem.

Die Schwestern hier kommen und gehen,
wie es ihnen beliebt, die verunglückte Frau
gegenüber fiebert nach ihrem Otto, aber sie
lassen ihn nicht vor, und der Mann rechts
schnauft unter der Sauerstoffmaske, das ist
nicht normal, das ist ein Erstickungsapparat,
und ich, ich hätte gern eine heiße Bouillon,
aber sie bringen sie mir einfach nicht.
Und dann, wenn sie auftreten, outrieren sie
wie auf dem Provinztheater, nein, muß ich
sagen, nein, ich will ganz und gar nicht
das Blut von einem jungen schönen feurigen
Zigeuner, ich will das von meiner Tochter.

Ich verstehe das nicht, sagt sie, plötzlich
ist es gleichzeitig hell und dunkel, warm
und kalt, still und voller Geräusche,
die ich nicht deuten kann. Ich habe
Schmerzen. Schmerzen. Ich kann nicht mehr,
ich will nachhaus. Mein armes Kind.

Nacht. Spät. Alle Stunden vergehen
und ein Bewußtsein. Auf dem Monitor
in immer längeren Abständen flackert
der dünne grüne Lebensfaden, bis er
sich ebnet in eine Unendlichkeitslinie.

Eine Befriedung.
Aber wie
mir.

Lebendigen Todes

Immer auf eine Art
heiter unter den anwesenden
Toten, meinen teuren,
verehrungswürdigen, freigiebig
überliefernden Lehrern und Freunden.
Eremiten etwa, Pilger, Daseinserkunder,
Forscher, Erfinder, Phantasten, Clowns,
Welteneroberer, Freiheitskämpfer,
rastlos besessene Virtuosen aller
erdenklichen Künste im Hoheitsgebiet
der Farben gut-wahr-schön.

Und immer eine Art
Entsetzen, wenn mein treuen,
plötzlich abwesend gemeldeten
Lebenden ohne Absicht und Arg
sich hineindrängen in jene scheinbar
selbstgenügsam geschlossene Gesellschaft.
Eben noch sinnengewiß, Atem,
Stimmen, Augen, Duft und Haut und Haar,
Übermut, Zorn, Lust und Liebe und Kraft,
und dann
Körper gerissen,
aus dem eigenen
Körper.

So also. Alle
auf ihrem Erdenweg
in dieses eine
womöglich zu lobende
Einwanderungsland,
das noch jeden
aufgenommen hat
und niemanden
je ausgewiesen.

III

French Quarter Special

Die Geschichte, nach Ort, Zeit und Personen
der Handlung, ist in Kurzfassung erzählt die.
Er, Fotograf aus L.A., trifft in New Orleans
sie, Schauspielerin aus Philadelphia.
Er macht eine Reportage über die
Vorweihnachtszeit im Süden, sie spielt
an den Wochenenden zwei kleine Rollen
im Petit Théâtre, ›Christmas Carol‹ von Dickens.
Er, lang, lässig, verwegen, Luchsaugen,
scharfer, unverschämt selbstsicherer Blick.
Sie, gewissenhafte Anmut, Pastellteint, blond
bis in die Seele, liebt es mit Worten
erkannt zu werden. Da beredet er sie
ein bißchen, will den Genius loci
beschwören, eine Art Storyville Revival
mit Handschellen, Peitsche undsoweiter.
Sie errötet, neugierig. In der ersten
Nacht gefällt es ihr, in der zweiten ist sie
verstört, er lacht, der Marley in deinem Stück
hat auch Ketten getragen, befreie dich doch,
bevor du weiter herumirrst als Geist. Am dritten
Morgen ist sie außer sich, sieht sich verraten,
entehrt, fühlt einen so heiligen Zorn aufsteigen,
wie sonst nur auf der Bühne, da hat sie schon
Rache geübt hin und wieder. Und soeben
auf dem Weg zum Frühstück am Fahrstuhl rechts
weit offen das Bullauge des Wäscheschluckers,
neun, zehn Etagen tief. Dreckige Rohrpost,

sagt er, beugt sich hinein in den breiten
runden metallenen Schlund. Jetzt nur
Füße weg, leicht kippen, hinunterstoßen
und fest die Klappe verriegeln. Sofort
das Hotel verlassen, nicht zu schnellen Schritts.

Gleich einbiegen in die Canal Street, in die
Menge, in den Strom die Kaufhäuser entlang,
Godchaux's, Holmes, Krauss, Maison Blanche,
ihre Tasche entgleitet, und sie schnappt sie
wieder aus groben roten Händen, sie stolpert
und wird gefangen von einem jungen Schwarzen,
ihr Handy fällt aus der Jacke, wird fortgekickt
von einem flinken kleinen Fuß, sie kehrt um
und rennt über Chartres geradewegs in die
Kathedrale, himmlische Zuflucht, denkt sie,
schaut wie erlöst empor, und da schwebt er schon,
der Segenspendende, weist mit dem Hirtenstab
seinen Schäfchen den Weg, Stationen sind das,
einfach condamné à mort und am Ende klaglos
mis dans le tombeau, wie denn, bitte,
verhalten sich die Engel dazu über dem Altar,
Faith, Hope, Charity, Kinder am Rockzipfel
und einen Anker, nur wieder die Flagge
schützen sie, die amerikanische, zu ihren Füßen,
da kann sie sich allen Mächten zugleich ergeben.
Auf dem Platz draußen Schausteller, Jongleure,
Messerwerfer vor einer schönen leichtbekleideten
Mulattin auf der Drehscheibe, rasch nacheinander
blinken die Messer auf, treffen ins Holz und sie
unter die Haut, und nebenan auf dem Markt stürzt

ein langer schlaksiger Mann auf sie zu, grüngraue
Gasmaske über dem Kopf, nur jetzt hinein
dort ins Café du Monde, Milchkaffee, Beignets
an der Theke und ein Telefon, Liz, Liz anrufen,
aber Liz meldet sich nicht, nicht in der Wohnung
der beiden und nicht im Medical College Tulane,
sie ißt und trinkt und niest den Puderzucker
aus ihrer Nase, und auf einmal starren sieben
vietnamesische Kellnerinnen sie kichernd an.

Wieder schräg über den Square und dann
St. Peter, Toulouse, St. Louis, der tiefstehenden
Sonne entgegen, vorbei an den Voodoo Shops
mit Puppen, Kerzen, Kräutern, Essenzen
im Fenster, den heiser singenden alten Männern
auf den Eingangsstufen der Häuser, die sie,
come in, Lady, hineinziehen wollen zu ihrem
Parlour Sale, an den eben öffnenden Bars,
an den Türstehern, den Female Impersonators,
den Topless Dancers, bis plötzlich drüben
aus der Telefonsäule ein Ruf ertönt, jemand
den Hörer abnimmt und über die Straße fragt,
wo Neil Nicklas abgeblieben ist, Nick, aber ja,
Nick Anderson, fällt ihr ein, gibt heute abend
sein Fest zum Semesterende, da wird sie Liz
treffen in zwei oder drei Stunden. Und dort,
auf der anderen Seite der Basin Street, unter
duftenden Kampferbäumen, beim Küster am eisernen
Tor des Friedhofs steht nun eine Touristengruppe
beisammen, da wird sie aufgehoben sein vorerst.
Bei den Toten. Den Grabvillen, Kuppeln, Steinen,

Stelen, Madonnen, Engeln, marmorweiß vor einem
stahlblauen Winterhimmel, der bekritzelten
Fassade im magischen Areal, wo kein einziger
Grashalm wächst und die frischesten Blumen
dahinwelken in Minuten. Und wie entrückt
führen sich all auf am Grab der Laveau,
haben eingeübt, wie es geht, dreimal auf den
Boden mit dem linken Fuß, dreimal links
um die eigene Achse und dreimal linkshändig
mit Kreide den Buchstaben X an die Wand.
Hex your enemies, help your friends! Ja, hilf,
herrliche Marie, wenn es keinen anderen Beistand
gibt, dann, gläubig oder nicht, auch diesen Zauber.
Zuletzt am Ausgang, an einer Palme lehnt
diese Kreolin mit curryfarbenem Haar, die ihr
eine Puppe entgegenhält aus Zuckerrohrschilf
und drapiertem Stoff, mit einer Nadel im Leib
und einem Blutfleck über dem Herzen, also doch,
aber die Frau lacht in ihre erschreckten Augen,
voodoo them, sagt sie, before they voodoo you!

Am Abend bei Nick ist die Gesellschaft fröhlich
und sie erschöpft, trinkt nur hastig, zieht sich
in eine Sofaecke zurück, sieht Liz hereinplatzen,
ihre Erste-Hilfe-Box unter dem Arm, wo warst du,
wie geht's dir und wo ist er, ach, Zerwürfnis,
murmelt sie, elend ist mir, ich will nachhaus,
erfinde eine Krankheit, eine triftige, fürs Theater.
Dann streckt sie sich aus, starrt, trinkt, friert,
schläft eine kurze Nacht lang unter beheizter
Steppdecke bei offener Gasflamme im Kamin.

Am Morgen springt die Katze auf ihren Bauch,
sie fährt hoch und fegt mit der abwehrenden
Hand einen gerahmten Scheck von der Wand
über 5 Dollar, ausgestellt von Scott Fitzgerald.

Im Fond der Limousine zum Flughafen sitzt sie
fiebrig, mit zitternden Händen und Knien,
kauft ein Ticket am Schalter, wendet sich um,
geht zur Sperre, und da
steht er dann, grinsend,
hello, sagt er, hello Saint,
marching out?

Etüde

In aller Herrgottsfrühe
hüpft dem Kind der
Naschfinger über die Tasten –
so rein licht strahlend der Klang,
so unbändig jauchzt und lacht
das Kind – bis aus dem Bade
in offen wehendem Morgenmantel
Venus erscheint und ihren Cupido
als Honigdieb erwischt, sogleich
mit dem Cellobogen ein Bild
an die Wand mahnt, das den
kleinen Lüstling attackiert zeigt
von einem Bienenschwarm und just
erfahrene Sinnenfreude bestraft
mit heftig anhaltendem Schmerz.

Das Kind aber vor lauter süßen
Tönen will den Stachel nicht sehen,
springt auf vom Flügel und stampft
mit den Füßen vor Zorn
diese Moral etwa
nieder in den Teppichboden.

Hasard

In Horden fallen sie wieder ein,
klagt der Chronist, mischen sich
unter riesig viel elendes Volk,
hasten voran, packen, zu allem
entschlossen, ein Leben beim Genick,
das blenden soll vor vergänglichem
Reichtum und Ruhm, unterwegs in
undurchsichtig schwarzen Limousinen,
noch Lebende im Fond oder schon Tote,
unterwegs in aufstrebenden Kostümen,
auf harten hohen Absätzen, die übers
Pflaster knallen wie Maschinengewehrfeuer,
unterwegs durch Lichtschranken, Visitationen,
Sperrbezirke, an neu prunkenden Fassaden
entlang und gottgefällig wiedererstellten,
unterwegs am Patriarchen Lenin vorbei, ohne
den Blick je zu heben, Lenin auf dem Sockel
mit wehendem Mantel und Schiebermütze, das Buch
der Geschichte in der erhobenen Hand, unterwegs
in den Metrostationen vor den Bronzereliefs
glorreichen Aufbruchs, Hundeschnauzen, Revolver
und Flinten blankgerieben in Jahren wie sonst
die Füße der Heiligen und an der Kremlmauer
oben innegehalten bei der Siegesparade des
Marschalls auf stolzem Schimmel mitten in der
Fotokulisse posierender Hochzeitsgesellschaften.

Am Abend sieht der Chronist sie beim Essen
nebenan Etappensiege feiern, Trinksprüche
ausbringen auf die bunt Versammelten im
Wandbild gegenüber, am Tisch des Herrn
sitzt da der Namenspatron der legendären Ära
Nikita im weißen Sommeranzug, zu seiner Rechten
Stalin von einer Säule verdeckt, Mao, Castro,
Ho Chi Minh und zur Linken Kennedy, Marilyn,
Martin Luther King und alle vier Beatles.
Jetzt würfeln sie schon, wer, wann, warum,
auf welcher Seite am Ende landen wird.

Und wer nicht hier seinen Platz
gefunden hat bei diesem Spiel,
wird noch in der Nacht sich
trunken in die Zarenkanone stopfen
und weit nach Westen schießen lassen,
in jene verfluchte, noch
immer gewinnträchtige
Himmelsrichtung.

Il conto

September noch. Noch einmal geladen.
Der Tisch auf rauhem Terrakotta oben
bereit, dicht an der Balustrade.
Das Meer unten tintenblau still,
der Himmel darüber ein paar Nuancen
heller, besänftigend fast. Aber wie
das tiefere Blau vorauseilend insistiert,
Tisch und Stühle ergreift, die Armlehnen,
die Griffe der Messer, Gabeln, Löffel,
den blattgemusterten Rand der Teller,
zwei breite Streifen, die Leinen und Tisch
der Länge nach teilen. Tintenblau.
Allein die rote Languste in der Mitte
als leise Zeichengebung von Alarm.

Unter dem Läuten der Kirchenglocken
knattert ein Feuerwehrhelikopter
zu letzten schwelenden Feuern
in den Olivenhainen am Berg,
hält ein über der Terrasse, da
im scharfen Luftzug sich nun
eine Serviette entfaltet und
ein Büchlein freilegt, kleines Oktav,
Lebenswerk, Selbstverlag, auf dem Titel
eine Widmung in schwungvoller Schrift.
Tintenblau: »Hier hast Du
meine Hand: das Wort«.

In der Ferne bei klarer Sicht
geht eben ein Tank
Platzregen nieder
auf einen einzigen
löschenden Streich.

Erbe

Gerade erst ist sie fort,
starrer knochiger Körper, Bahre,
Feuerwehrmänner, kurze Sirene,
und schon springt
die Katze wieder auf das
lange gemiedene Krankenbett
und zerfetzt mit beiden Pfoten
ein Stück rotes Gummilaken.

Das Zimmer rundum wie sonst,
die angegrauten Schleiflackmöbel,
auf den Nachttischen Lesebrille,
Champagnerglas, Lampen mit
zerschlissenen Seidenschirmen,
Brokatpantoffeln schräg unterm Bett,
im Lehnstuhl neben der Fernsehtruhe
eine angebrochene Packung Windeln.

Jeden Morgen kommt jetzt
der Schornsteinfeger, entsorgt
die Katzenstreu, stellt Büchsen
mit feinstem Futter bereit,
jeden Abend dann auch
die Studentin von oben, füllt
der gierigen Katze den Napf
und die Schale mit Milch, spaziert
mit ihr durch die dämmernden Räume.

Durch den Salon, den Wintergarten,
die Katze zwischen den Beinen,
zwischen herabgezerrten Gardinen,
umgestürzten Porzellanfiguren,
angeknabberten Pflanzen, die Katze
auf behaarten Veloursesseln, Sofas,
auf dem Teppich in wilder Jagd
mit einem Nerzhut als Spielball.

Später fallen Angehörige ein,
öffnen Schränke, Vitrinen, Safe,
lehnen eine Leiter ans Walmdach,
begutachten die obere Wohnung,
lassen eine Stadtvilla planen,
das Haus abreißen, eine Baugrube
ausheben, die verendete Katze
in den Grundstein einmauern
und stehen bis heute zerstritten
noch immer vor einer Bauruine.

Ohne Ende ein Sommer

Zuerst die Rehe den fortblühenden
Frauen Rosen und Himbeeren
abgefressen und dann
die weidmüden Männer das krankhaft
wiederkehrende Wild erlegt und alsbald
vorzüglich mürbe bereiten und servieren
lassen zu Selleriemus und Roter Bete
bei Windlichtspalier und großer Gesellschaft
an grün und lavendelblau schimmernder Tafel
vor beredten Augen, Händen, Körpern,
summendem Behagen und Jubel, wie
herrlich dieser Sommer unter einem
nie dunkelnden Himmel, wie unerreicht
in der Zeit diese Aussicht über
Rasenterrassen, Buchsbaumhecken und Teich,
auf den schilfgesäumten hellen grauen
See in der Ferne, auf Holzbrücke, Kirchturm
und Schloßkuppel am anderen schwarzen Ufer.

Und welches Jahrhundert nehmen wir an, oh,
schwärmen die Frauen, es ist das achtzehnte,
da junge Kavaliere aus natürlichen Kulissen
eilen mit Flöten in allen Oktaven, um uns
aufzuwarten mit den innigsten Serenaden. Ach,
spotten die Männer, es ist das neunzehnte,
da bei anhaltend aufklarendem Licht endlich
Ernüchterung eintritt mit der Deutung der
Träume und vornehmlich der Hysterie.

Die leeren Stühle nach Mitternacht zwischen
sanft dahingleitenden Stimmen, unerfüllt
abziehender Wärme und einem Bodennebel,
der bleich kalt feucht emporkriecht an sechs
starren Beinen um den verlassenen Tisch.
Und die Invasion auf einmal
zu Lande und in der Luft,
Frösche, Salamander, Blindschleichen,
Nacktschnecken und Fledermäuse dicht
über den Köpfen, stramme lederne Glieder,
mit hektischen Flughäuten finster im Kreis.

Zuletzt die verbliebenen Frauen, so wie
angefaßt sind sie, so abrupt springen sie auf,
gehen, einander stützend, ins Haus, jede
in ein breites halbbelegtes
alterskeusch wartendes
Bett.

Kleine Schwalbe

Aus dem Straßengraben
in eine bergende Hand,
die das rasende Pochen
festhält unterm Gefieder.
Auf der Terrasse aus weichem Schoß
der Aufstieg nach zwei Stunden
auf eine Schulter mit Aussicht.

Der helle Himmel unerreichbar
ohne Flügel, die Insekten auch.
Vielleicht Eigelb hartgekocht, gehackte
Sonnenblumen- und Pinienkerne oder
ein Zipfel Fischhaut roh, aber selbst
der Napf Wasser steht unberührt.

Der Weinbauer von nebenan öffnet
entschlossen den Schnabel, stopft
hinein, was er kann, taucht kopfüber
den Vogel ins Wasserbad
und stellt eine Voliere bereit.

Zurück auf sicheren Schultern trippelt
die Schwalbe umher, gibt das falsche
Futter dünn und gelb von sich
in einen weißen Kragen, unternimmt
einen ersten letzten Sturzflugversuch
und prallt hart gegen die Hauswand.

Am Morgen liegt ein Körper still
und unbewegt auf der Seite.
Beklommene Andacht. Ein Begräbnis
im Rondell der jungen Orangenbäume.

Hoch oben im matten Blau
schwirren und lärmen
die anderen nordwärts
in einen Frühling.
Übermütig
wie sonst.

Baum und Fisch und ich

Ich wünschte zu sagen,
und wäre es nur
für mich allein,
wie fröhlich ich bin,
dich unter dem Nußbaum
auf der Seite liegen zu sehen,
ein sehr blauer Julihimmel
über dem hellgrünen Blätterdach
und ein leichter Sommerwein
auf dem Tablett im Gras.

Ein friedlich gestrandeter Fisch
aus der Entfernung, der Farbe nach
Goldkarausche, im Ausmaß Delphin
oder auch Lion de Mer, Lockenmähne,
satt lächelndes Breitmaul und eine
dicke Haut Sommersprossenschuppen,
an den unteren Flossen Badeschuhe,
in den oberen die Sonntagszeitung.

Aus der Nähe sehe ich die lange
Spur deiner Narbe am Rücken,
blaß wie die Lebenslinie in einer
Hand und dann wieder tiefrot heiß
wie meine sonnenverbrannten Wangen.

Und so etwa beuge ich mich herab,
du da, under the walnut-tree
with nobody else but me.

Leonardos Engel

Wie in der Werkstatt
des Lehrers zuerst
vom Bildrand her ein Antlitz
sich nähert einem Gesicht, einem
einheimisch groben, gedrungenen,
das unverwandt auf den Gefährten
schaut wie auf eine Erscheinung
aus einer anderen Welt,
so vollkommen in zarten Linien
von Nase, Wange, Kinn, so weich
im Fall der Locken über die Schultern,
so fern aus einer Landschaft, einer
in Bäume, Hügel, Felsen gerahmten,
licht und schattig sich dehnenden Ebene.

Und schon in großer Komposition geht
eine Gestalt nieder vor der Silhouette
schwärzester Pinien, Zedern, Zypressen
gegen den blaugrau aufscheinenden
Abendhimmel, soeben innehaltend
in äußerer und innerer Bewegung,
das Knie gebeugt und gesetzt in eine
Wiese wirbelnder Gräser und Blumen,
ja, der Verkündigungsengel ist es
in aller streng gesammelten Anmut,
den rechten Arm erhoben und mit
zwei beschwörenden Fingern weisend
auf diese Jungfrau gegenüber in Erwartung,

die hinter steinernem Möbel ungerührt
dasitzt, behäbig, breitbeinig unter den
reich drapierten Falten ihres Gewands,
mit gleichmütigen Zügen, wimpernlos
leerem Blick und schmollendem Mund,
die linke Hand abwehrend emporgestreckt
und die rechte verkrampft im Buch
am vorderen Rand ihres Lesepults. Da
hat offenbar die unerhörte Botschaft
sie gar nicht erreicht, die Gnade sie
nicht ergriffen, erregt, so wenig zeugt
ihr Gesicht von jeder beseelten Veränderung.

Aber erneut in einer Felsengrotte erscheint
der Engel neben der Jungfrau, die schützend
ihre Arme ausbreitet, mit der einen Hand
das Kind Johannes umfaßt, das in Anbetung kniet
und mit der anderen das Jesuskind beschirmt,
das zugleich auch der Engel umhegt,
der Engel am Rand der Gruppe,
wie abwesend, wie verloren,
den Blick auf wen nur
zur Seite gewandt und den Finger,
den was nur verkündenden Finger
gerichtet auf das Kind Johannes.

Und zuletzt aus dem Dunkel
wächst der Jüngling Johannes
wieder zu einem Engel heran,
einem Engel mit nackter üppiger
Brust, einem quer über die

linke Schulter erhobenen Arm
und einem Zeigefinger, der aufwärts
zurück ins Dunkel weist, mit einem
weichen lockenumrahmten Gesicht,
einem undurchschaubar wissenden Lächeln
und einem Blick, so geradewegs auf ein
Gegenüber gerichtet, als wäre es die
längst sinnentlassene Jungfrau selbst.

Dieser Engel am Ende, seht, er
verkündet nicht mehr, er schweigt,
und doch bedeutet er, das Lächeln,
der aufzeigende Finger, ein betörendes
unlösbares Rätsel zu kennen, jenes
über ihm und ihm über.

Wenn es denn
ein Engel ist und nicht
ein Porträt des Künstlers
als Agent
in geheimer Mission.

Anmerkungen

S. 9 *Incarnation. Revisited.*
Gewidmet dem Maler Eckhard Kremers.

S. 14 *Eine Erhebung von Selbst.*
Gewidmet dem Maler Marwan.

S. 16 *Elegie in sieben Sachen auf Uwe Johnson.*
Wörtliche Zitate aus Werken oder Briefen von Uwe Johnson sind kursiv gesetzt.
3 Zitat aus: Uwe Johnson, Skizze eines Verunglückten, Frankfurt a. M. 1982.
4 Zitat-Collage aus Briefen Johnson/Kiwus.
Die Zitate aus dem Johnson-Brief waren nicht zu verifizieren, die aus dem Kiwus-Brief – von »Ich erkundigte mich …« bis »›Dumme Pute!‹ sagte Johnson.« – sind aus: James Boswell, Dr. Samuel Johnson. Leben und Meinungen, Zürich 1981.
6 Zeilen aus dem Gedicht »Do not go gentle into that good night« von Dylan Thomas.

S. 27 *Bac Ho liegt hier nicht mehr.* Der Name Ho Chi Minh bedeutet: der nach Erleuchtung Strebende.

S. 29 *Eingeborene aller Länder.* Nach Zeugnissen nordamerikanischer Indianer Mitte des 19. Jahrhunderts.

S. 58 *Etüde.* Anspielung auf Motive in Gemälden von Lukas Cranach d. Ä. und d. J.

Inhalt

I

II

III